Heinrich Christian Rust

# Beten

## 7 Gründe,
## warum ich es tue

**»Wir haben viel Know-how,
aber wenig Know-why.«**

*Roger Willemsen*

In dieser Buchreihe nehmen wir die Warum-Frage wörtlich und geben Antwort. Warum beten wir eigentlich? (Und in den bisher zwei anderen Bänden: Warum lohnt es sich, Jesus Christus nachzufolgen? Und warum macht es Sinn, in der Bibel zu lesen?)

Fundiert und mit überzeugenden Argumenten werben Autoren, die das leben, wovon sie schreiben, darum, die Warum-Frage selbst zum ersten Mal oder ganz neu zu beantworten.

Egal, ob Sie zu diesem Thema mehr Fragen als Antworten haben oder sich schon lange mit dem Beten beschäftigen: Wir sind sicher, dass Sie vom Inhalt der folgenden Seiten profitieren werden!

# Inhalt

Beten

**»Haben Sie schon einmal gebetet?«**

Ich habe noch keinen Menschen getroffen, der diese Frage mit »nein« beantwortet. Vielmehr eröffnet sich zumeist ein vielfältiger und interessanter Dialog.

Die meisten Leute beten, wenn sie in eine besondere Notsituation geraten. Sie bitten Gott, oder »den da oben, wenn es ihn denn gibt«, um Hilfe. Manchmal bleibt dann die erhoffte Hilfe aus und der Gebetsfrust setzt sich tief in die Seele. Dabei ist nicht nur die Tatsache schwer zu verkraften, dass das eigene Gebet so kraftlos und ohne Wirkung war, sondern hinzu kommen Zweifel, ob es überhaupt einen Gott gibt, der auf persönliche Anliegen hören könnte. Innerlich landen viele bei dem Entschluss: »Mit Gott bin ich fertig! – Wenn er sich nicht um mich kümmert, dann kümmere ich mich auch nicht um ihn. Wenn es einen Gott der Liebe gibt, dann bin ich ihm noch nicht begegnet!« – Wenn ich dann von meinen persönlichen Erfahrungen mit diesem liebenden Gott spreche oder sogar von einigen Gebetserfahrungen erzähle, die ich gemacht habe, so schmerzt die aufgerissene Wunde bei denjenigen, die solche Erfahrungen nicht gemacht haben, um so stärker.

Nun ist es ohne Zweifel so, dass wohl jeder Mensch dieser Erde irgendwann einmal betet, ein Stoßgebet »zum Himmel« schreit oder irgendwie zumindest in Gedanken so etwas wie ein Gebet formuliert. Die Vorstellungen darüber, wie dieses göttliche Gegenüber denn nun aussieht, welches Wesen es hat oder ob es ein an mir persönlich interessierter Gott ist, sind allerdings sehr unterschiedlich. Es gibt ernsthafte Muslime oder auch Buddhisten, die ihr Gebetsgegenüber völlig anders sehen als ich.

Als Christ bete ich zu dem einen, lebendigen Gott der Bibel. Er ist der Schöpfer des Himmels und der Erde. Er ist der Gott, der mit dem Volk Israel in dieser Welt Geschichte schreibt. Die vielen biblischen Berichte und Gebete sprechen davon, dass er ein Gott ist, der Wunder tut, der eingreift in unser Leben. Es ist der Gott, der seine ganze Liebe nicht nur diesem auserwählten Volk der Juden zuteil werden lässt, sondern der seine Hand im Kommen von Jesus Christus zu allen Menschen ausgestreckt hat. Jesus hat die unendliche Distanz durchbrochen, die der Mensch durch seine Rebellion und Sünde gegen Gott aufgebaut hat. Jesus Christus ist derjenige, der uns Gehör bei dem lebendigen Gott verschafft. Wenn ich bete, dann bete ich nicht zu einem höheren, unbekannten Wesen, sondern ich bete zu diesem Gott der Bibel. Ich finde Zugang zu ihm, der sich als ein fürsorgender Vater, als eine erlösende und befreiende Autorität im Sohn Jesus Christus und als ein tröstender und unterstützender Geist gezeigt hat. So habe ich ihn erfahren.

Gerne möchte ich Sie einladen, zu diesem Gott der Bibel zu beten. Sie werden dabei Erstaunliches erleben.

Es ist meine Erfahrung, dass es dabei gar nicht so sehr auf die richtigen Worte oder Formen ankommt, sondern auf die innere Einstellung. Man muss nicht perfekt sein, um zu Gott beten zu können. Stellen Sie sich nur vor, Sie können mit dem, der alle Autorität dieser Erde übertrifft, mit dem, der Ihnen das Leben gegeben und ermöglicht hat, so reden und kommunizieren wie mit einem guten Freund! Was kann es da eigentlich noch Größeres geben?

Ich bin zunehmend der Überzeugung, dass das Gebet die mächtigste Kraft ist, die wir Menschen auf dieser Erde haben. Gerne möchte ich Ihnen auf den folgenden Seiten beschreiben, warum ich so gerne bete und wie wichtig mir das Gebet ist.

*Heinrich Christian Rust*

# 1. Weil ich Gott dankbar bin

*Hört nicht auf zu danken für das,*
*was Gott euch geschenkt hat.*
Kolosser 2,7

Wenn ich überlege, warum ich bete, so ist einer meiner hauptsächlichen Beweggründe, dass ich Gott danke sagen möchte.

Es ist mir nicht etwa eine mühselige Pflichtübung, auf die ich des Öfteren verzichte. Sondern das Danken ist zu einem festen Bestandteil meines Gebetslebens geworden. Im Danken finde ich schneller zu Gott als im Bitten. Viele Menschen betrachten »beten« und »bitten« als Synonyme für ein und dieselbe Sache. Die Bibel zeigt uns jedoch ein viel weiteres Spektrum des Gebets auf. Auffallend ist dabei, dass das Dankgebet anscheinend wie ein guter Rahmen ist, in dem der Beter seine Anbetung oder auch seine Bitte oder Fürbitte vortragen kann. So heißt es in Psalm 100,4: *Geht durch die Tempeltore mit einem Danklied* ... Ebenso finden wir die neutestamentliche Aufforderung: *Macht euch keine Sorgen, sondern wendet euch in jeder Lage an Gott und bringt eure Bitten vor ihn. Tut es mit Dank für das, was er euch geschenkt hat* (Philipper 4,6). Das Dankgebet ist wie ein Schuhlöffel auf dem Weg zu Gott.

Dabei gibt es eine auffallende psychologische Nebenwirkung: Danken stimmt mich innerlich positiv und nimmt mir die erdrückenden Gedanken der Sorge erst einmal von meiner Seele. Das ist auch verständlich, denn während ich im Bittgebet immer die Defizite thematisiere, habe ich im Dankgebet das vor Augen, was Gott getan hat oder tun kann. Ich bin nicht in der Rolle des Opfers oder des Bedürftigen, sondern des Empfangenden. Diese innere Position bringt Freude in mein Leben und macht gelassen. Früher sagte man: »Danken schützt vor Wanken!« – Ich behaupte, dass Menschen, die viel Dank zu Gott bringen, leichter durchs Leben kommen als jene, die sich immer nur auf das Bittgebet konzentrieren. Dabei kann die dauerhafte Praxis des Dankgebetes sich zu einer positiven, ja vielleicht sogar optimistischen Lebenshaltung entwickeln.

Ich selber habe diese Grundhaltung meinen Eltern zu verdanken, die mir von klein auf das Danken beigebracht haben. Nicht etwa in dem Stil, wie man Kinder oftmals zurechtweist: »Und, was sagt man da?!« Oder in den Zeiten meiner Kindheit: »Mach einen Diener!« – Nein, so habe ich es nicht gelernt.

Ich denke besonders an meine Mutter. Objektiv gesehen hatte sie kein ganz einfaches Leben. Als junges Mädchen wurde sie mit ihrer Familie während des 2. Weltkrieges in Hamburg ausgebombt. Mit 19 Jahren heiratete sie meinen Vater und zog in ein niedersächsisches kleines Dorf. In kürzester Zeit schenkte sie uns vier Kindern das Leben, dazwischen gab es noch eine Fehlgeburt. Als mein Vater arbeitslos war, machte sie sich selbstständig und eröffnete ein Lebensmittelgeschäft in unserem Dorf. Ein Leben voller Arbeit und Mühe nahm seinen Lauf. Der Tag begann morgens um 5.00 Uhr und endete für sie oft erst gegen 23.00 Uhr. Der große Haushalt lief parallel zum Geschäft. Zudem war sie engagierte Christin und aktiv in unserer kleinen Baptistengemeinde in der nahegelegenen Stadt. Über all die Jahre litt sie an Krampfadern, und zwar an offenen Beinen. Ich kann mich erinnern, dass sie oft mit zusammengekniffenen Lippen hinter dem Einkaufstresen stand und ihr Schmerzenstränen über das Gesicht kullerten. Mit 65 Jahren starb sie an einem Herzinfarkt. Wie sich herausstellte, war es nicht der erste in ihrem Leben gewesen.

Obwohl sie wirklich allen Grund gehabt hätte, unzufrieden zu sein, imponierte sie uns mit ihrer dankbaren Fröhlichkeit. Es gab wohl keinen Tag, an dem sie nicht Dank- und Loblieder durch unser großes Treppenhaus schmetterte oder bei der spätabendlichen Hausarbeit mit uns Kindern sang. Ich höre ihr Beten noch heute wie eine Art Glockenklang: »Ich danke dir, Herr ... Ich danke dir, Herr!«

Erstaunlich, für was man alles dankbar sein konnte! Das fing bei den so genannten Kleinigkeiten des Lebens an bis hin zu den großen Lebenszusammenhängen. Wenn es wirklich sehr schwer war, konzentrierte sich der Dank auf die Möglichkeiten, die Gott hat, um uns zu helfen: »Herr, du siehst unsere Not, aber wir danken dir, dass du die Kraft hast, uns zu helfen!«

Von meinen Eltern lernte ich auch den Grundsatz: »Danken hat zuerst mit Nachdenken zu tun!« – Wer Gott dankt, der muss sich ja zunächst einmal bewusst werden, wofür er denn nun eigentlich danken kann.

Gerade an den düsteren und tristen Tagen meines Lebens nehme ich mir zunächst ein Blatt Papier und einen Stift und dann schreibe ich in Stichworten auf, wofür ich Gott danke. Ich beginne dabei meist bei mir persönlich. Ich danke Gott dafür, dass ich lebe und dass ich in dieser herausfordernden Zeit leben darf. Ich danke Gott für meine Kindheit und Jugendzeit, für die Möglichkeit der Ausbildung und dafür, dass ich Arbeit habe. Ich danke Gott für meinen Körper, für Gesundheit oder auch für die Medikamente und Ärzte, durch die er mir helfen kann. Ich danke Gott für meine Stärken, für das, von dem ich glaube, dass ich es gut kann. Ich danke ihm aber auch für meine Schwächen, weil sie mich vor Hochmut bewahren können.

In einem weiteren Gedankengang denke ich über die Beziehungen nach, in denen ich lebe: Ich danke Gott für meine Ehefrau Christiane, für ihre Geduld mit mir und für ihre Liebe zu mir und zu unseren Kindern. Ich danke Gott für unsere drei gesunden Kinder und dafür, dass sie eine gute Ausbildung wahrnehmen können. Ich danke Gott für unsere Eltern und Großeltern, die sich mit uns so viel Mühe gemacht haben und die uns nach bestem Wissen und Gewissen begleitet haben. Ich danke Gott für meine Geschwister und für die weiteren Familienangehörigen.

Sodann gehen meine Gedanken in weitere Lebenszusammenhänge: Ich danke Gott für meine Arbeitskollegen, für meine Freunde und für jene, denen ich ein Freund sein kann. Ich danke Gott für die Menschen, die Verantwortung übernommen haben, damit das Zusammenleben in unserem Land gelingt: Ich danke für die Menschen in der Regierung und Opposition unserer Parlamente und dafür, dass ich zu einer Generation gehöre, die noch niemals einen Krieg im eigenen Land miterleben musste. Ich danke Gott für alle Versorgung, für die Infrastruktur in unserem Land, für die Kultur, in der ich mein Leben genießen darf. Ich danke Gott, dass ich noch niemals über längere Zeit hungern oder dürsten musste, dass ich mehr als genug zum anziehen habe und dass ich ein Dach über dem Kopf habe. Wie oft schlafe ich mit diesem Gedanken ein – und schlafe dann hervorragend!

Vor allen Dingen danke ich Gott aber für Jesus Christus und dafür, dass ich durch ihn Vergebung all meiner Schuld und Sünde fand und finde, und dass ich in ihm ein neues Leben empfangen habe. Das ist wohl das größte Geschenk meines Lebens. Ich freue mich und bin dankbar, dass ich mit vielen anderen Christen auf diese Weise verbunden bin. Ich danke Gott, dass ich in einer christlichen Gemeinde Gottesdienste feiern darf und Menschen habe, mit denen gemeinsam ich Jesus nachfolge.

Mein Dankgebet formuliere ich auf möglichst vielfältige Weise. Manchmal geht es mir dabei so wie jemandem, der sich Gedanken darüber macht, wie er einen anderen durch ein Geschenk erfreuen kann. Ich weiß: Gott freut sich über jeden Dank. Ich singe gerne. Ich bin viel mit dem Auto unterwegs, und während der Fahrten singe ich Gott häufig Dank- und Loblieder. Manchmal habe ich mich auch schon hingesetzt und so etwas wie einen Psalm oder ein Gedicht verfasst, ein schriftliches Gebet, in dem ich meine Dankbarkeit Gott gegenüber zum Ausdruck bringe. Besonders freue ich mich, wenn ich Gott auch dadurch danken kann, indem ich ihm ein finanzielles Dankopfer bringen kann. Die Bibel berichtet uns von dem Segen, der darin liegt *(»Habt*

*keine Sorge, dass ihr dann selber in Not kommt!
Stellt mich auf die Probe«, sagt der Herr, der
Herrscher der Welt, »macht den Versuch, ob ich
dann nicht die Fenster des Himmels öffne und
euch mit Segen überschütte!«* Maleachi 3,10).

Es bereitet mir große Freude, Gott zu danken!

Manchmal nehme ich mir ganz bewusst im
Laufe eines Tages Zeiten heraus, in denen ich
ausschließlich Gott danke. Diese Momente
sind dann wie »Dankinseln« mitten im Alltag.
Ich atme auf und freue mich an dem, was Gott
mir alles geschenkt hat.

»Danken schützt vor Wanken!«, da ist etwas
Wahres dran! Und eine »Dankinsel« im Laufe
des Alltags würde Ihnen auch gut tun, oder?
Probieren Sie es doch einfach einmal aus ...

!mpuls:

*Bittet und ihr werdet bekommen!*
Matthäus 7,7

Eindeutiger kann Jesus wohl kaum zum Ausdruck bringen, dass unser Glaube davon geprägt sein darf und soll, dass wir im Gebet als Bittende zu Gott kommen. Und obendrein ist diese Aufforderung auch noch mit einer sehr klaren Zusage verbunden. Der Gott, der uns in der Bibel begegnet, ist kein knauseriger Herrscher, der aus seiner Fülle nur ungern etwas abgibt oder weitergibt. Ganz im Gegenteil: Gott beschenkt Menschen sogar, ohne dass sie ihn darum bitten, und er gibt uns über das Maß unseres Bittens und Verstehens hinaus *(Gott kann unendlich viel mehr an uns tun, als wir jemals von ihm erbitten oder uns ausdenken können,* Epheser 3,20).

Manchmal fragt man sich allerdings schon, warum Gott uns im biblischen Wort überhaupt auffordert, mit Bitten zu ihm zu kommen. In der Bergpredigt betont Jesus ja, dass *Euer Vater weiß, was ihr braucht, bevor ihr ihn bittet* (Matthäus 6,8). Wenn Gott ohnehin Bescheid weiß und wenn er ohnehin souverän in seinem Handeln ist, warum sollte er dann um etwas gebeten werden?

Hier leuchtet etwas von der Menschenliebe Gottes auf. Der Gott der Bibel ist eben nicht vergleichbar mit der islamischen Vorstellung von Gott. Hier kann ein Mensch sich nur unter den Willen Allahs beugen. Das Evangelium von Jesus Christus macht sehr klar, was wir schon im Alten Testament finden: Gott möchte mit uns über unsere Bedürfnisse sprechen. Er möchte, dass wir ihm unsere Not klagen und unser Herz vor ihm ausschütten. Er möchte auch, dass wir das inständig tun, ja, dass wir in tiefer Not sogar zu ihm schreien. Darin werde ich mir auch meiner eigenen Bedürftigkeit und Abhängigkeit von Gott bewusst.

Bitten bedeutet immer auch mit leeren Händen vor Gott stehen. Im Bittgebet geht es nicht darum, dass ich Gott über meine Bedürftigkeit »informiere«, sondern dass ich mir im Aussprechen darüber klar werde: Meine Hilfe kommt von dem Herrn! Er will, dass ich ihn bitte. Schon der Psalmist Asaf weiß sich von Gott dazu aufgefordert, wenn er schreibt: *Bist du in Not, so rufe mich zu Hilfe! Ich werde dir helfen und du wirst mich preisen* (Psalm 50,15). Diese Bibelstelle wird auch als »Telefonnummer« Gottes bezeichnet.

Ja, es ist wirklich so, wir dürfen und sollen mit unserer existenziellen Not zu Gott kommen. Das wiederum bedeutet jedoch nicht, dass er nur für die großen Sachen im Leben zuständig wäre. Vielmehr wird deutlich, dass wir mit allen Anliegen zu Gott kommen sollen: *Macht euch keine Sorgen, sondern wendet euch in jeder Lage an Gott und bringt eure Bitten vor ihn* (Philipper 4,6 a).

Keine Bitte kann so unbedeutend sein, dass sie nicht Gott gegenüber ausgesprochen werden kann. Kein Flehen kann so groß sein, dass Gott es nicht erhören könnte.

Nun stellt sich die Frage, ob Gott alle meine Bitten erhört. Die oben zitierte Aussage Jesu könnte man ja so deuten. Sicher hört Gott alle meine Bitten, aber er erhört sie nicht immer so, wie ich mir das vorstelle. Gott erfüllt alle seine Verheißungen, aber nicht alle meine Wünsche!

Deshalb finden wir in den weiteren Aussagen Jesu über das bittende Gebet häufig den Zusatz, dass wir »im Namen Jesu« beten sollen. Damit ist nicht etwa gemeint, dass wir schlicht und einfach die Worte »im Namen Jesu« hinzufügen, nachdem wir Gott unsere ganzen Bitten und Wünsche vorgetragen haben. Etwas »im Namen Jesu« zu erbitten, das bedeutet, dass ich vollkommen in seinem Willen, in seinem Wesen und in seiner Absicht bete und bitte.

Das allerdings ist ja gar nicht so einfach zu erkennen. Oft nehme ich mir deshalb auch Zeit, bevor ich mit meinen Bitten Gott bestürme, und bin erst einmal ruhig. Ich stelle mir dann die Frage, aus welcher Motivation heraus ich meine Bitte vortragen möchte. Mir ist dabei bewusst, dass Gott Bitten, die aus einer üblen Gesinnung heraus kommen, gar nicht erhören kann. Das betont auch Jakobus in seinem Brief, wenn er schreibt: *Und wenn ihr ihn bittet, bekommt ihr es nicht, weil ihr nur in der Absicht bittet, eure unersättliche Genusssucht zu befriedigen* (Jakobus 4,3).

Manchmal bete ich wirklich nicht in den edelsten Absichten. Gott weiß das und ich weiß, dass Gott mich so annimmt, wie ich bin. Ich muss nicht erst eine lange Gewissenserforschung betreiben, ehe ich mich bittend an Gott wende. Im bittenden Gebet bringen gewöhnliche Menschen gewöhnliche und alltägliche Anliegen vor einen liebevollen Vater im Himmel. Wir bringen das vor Gott, was in uns ist, und nicht das, was in uns sein sollte. Manchmal reichen sogar die Worte nicht aus, da können wir nur seufzen oder weinen vor Gott. Aber er sieht auch diese wortlosen Gebete, die oft aus der Verzweiflung heraus kommen.

Vor einigen Jahren fand ich mich in einer Situation vor, in der ich zutiefst verzweifelt war. Ich erhielt von meinem Arzt eine Diagnose, die mir jegliche Lebensfreude und Lebensperspektive zu nehmen schien. So gut ich das konnte, ging ich dagegen an. Am Anfang war ich nur stumm vor Gott, dann weinte ich meine Not heraus. Schließlich schrie ich richtig zum Herrn. »Herr, ich bin zutiefst verzweifelt! Höre meine Bitte und gib mir doch ein Zeichen, dass du mich hörst!«

Kaum hatte ich diesen Satz ausgerufen, da klingelte mein Telefon. »Wie geht's dir?«, fragte da ein Freund. »Ich habe heute so viel an dich gedacht und für dich gebetet. Sicher bist du verzweifelt. Aber ich soll dir sagen, dass Gott eine Zukunft für dich hat! Vertraue auf ihn!« Nun verwandelten sich meine Verzweiflungstränen in Freudentränen.

Wieder einmal wurde ich darin bestärkt, dass ich mit allen meinen Anliegen zu Gott kommen soll. Er hilft gerne und er will mir in meiner Not begegnen. Nun könnte ich die Seiten dieses Buches füllen mit den unterschiedlichsten Erfahrungsberichten, wie der liebende Gott auf meine Bitten eingegangen ist.

Ich bitte ihn oft am Anfang des Tages darum, dass er mich irgendwie durch den Tag hindurchleitet. Gerade wenn ich viele Termine habe, will ich mir sorgfältig Zeit nehmen für diese Audienz bei Gott. Seit vielen Jahren hängt in meinem Arbeitszimmer das Wort von Martin Luther: »Ich habe heute viel zu tun, deshalb muss ich heute viel beten!« Schon als Schüler und Student habe ich erfahren, dass ich so besser lernen kann und aufnahmefähiger bin. Wie oft bin ich mit meinen Bitten zu Gott gekommen, wenn ich in der Erziehung unserer Kinder nicht weiter wusste! Wie unzählige Male habe ich Gott um

Kraft und Zeit gebeten, dass ich alle meine Aufgaben gut erfüllen kann!

Natürlich komme ich mit meinen Bitten nicht nur einmal am Tag zu Gott. Mein ganzes Leben ist voller Bitten, ja, mein Leben ist eine einzige Bitte zu Gott, dass er mich führt und segnet und für andere Menschen zum Segen setzt. Dazu gehören auch die Stoßgebete im Straßenverkehr oder in brenzligen Lebenssituationen.

Ein Bekannter von mir sagte mir einmal, dass er diese Gebete »Blitzlicht-Gebete« nennt. Es ist manchmal nur ein kurzer Gedanke, ein innerer Ruf zu Gott. Ebenso kurz wie das Aufleuchten des Blitzlichtes bei einer Fotoaufnahme. Da höre ich zum Beispiel plötzlich das Martinshorn eines Krankenwagens, und ich »blitze« mein Stoßgebet zum Himmel. Oder ich bin im inten-

Warum zögern wir eigentlich so oft, unsere Bitten zu dem zu bringen, dem alle Autorität im Himmel und auf der Erde gegeben ist? Ich lade Sie ein, mit allen Ihren persönlichen Anliegen im Gebet zu Gott zu kommen. *Er* fordert uns doch selber dazu auf!

## !mpuls:

siven Gespräch mit einem Menschen, der mich persönlich angreift, und schon wieder geht ein »Blitzlicht-Gebet« zum Herrn. Mein Tagesablauf ist voll von diesen kurzen Stoßgebeten und ich bin überzeugt, dass Gott sie ebenso ernst nimmt wie die wohlüberlegten Bitten, die ich ihm mit viel innerer Anteilnahme vortrage.

# 3. Weil andere bedürftig sind

*Betet dabei auch für uns.*
Kolosser 4,3 a

Wer im Gebet Gottes Gegenwart sucht, der wird sehr schnell eine überraschende Erfahrung machen: Gottes Anliegen ist es, dass alle Menschen gesegnet und gerettet werden. Man kann nicht in einem quasi völlig selbstbezogenen Gebet bleiben, Gottes Geist lenkt unseren Blick auch immer auf die Mitmenschen, auf unser Umfeld. So wie das Kreuz die beiden Dimensionen der Horizontalen und Vertikalen hat, so beinhaltet auch mein Gebet den Blick zu Gott und den Blick zum Nächsten.

Die Fürbitte gehört deshalb unbedingt zu meinem Gebetsleben dazu. Sie will mich davor bewahren, dass ich mich immer nur um mich drehe und nicht mehr den Blick für andere Menschen und ihre Nöte frei habe. Wenn ich die Bedürfnisse und Anliegen meiner Mitmenschen zu Gott bringe, so ist es wichtig, dass ich es ohne Groll oder Hass tue. Es gibt ja viele Fürbittegebete, die im wesentlichen aus einer Unzufriedenheit oder gar einem inneren Verletztsein heraus entstehen.

Als ich jung verheiratet war, entdeckte ich an meiner Frau nicht nur ihre vielen Vorzüge, sondern auch so manches, was mich mächtig störte. Ich dachte, sie müsste sich doch in jenen Punkten unbedingt ändern. So nahm ich diese Anliegen in meine Fürbitte. Ich betete etwa nach folgendem Motto: »Herr, meine Frau hat folgende Defizite, unter denen ich leide. Bitte verändere sie!« Je mehr ich mich in dieses Gebet hineinsteigerte, um so weniger Liebe war in mir. Echte, tiefe Fürbitte ist in einer Liebe zum anderen begründet und nicht in der Unzufriedenheit mit ihm. Ich hatte diese Lektion zu lernen. Als ich dann um mehr Liebe zu meiner Frau betete, da lösten sich die Dinge wie von selbst. (Übrigens hatte *ich* mich zu ändern, und nicht so sehr sie ...)

Der Zusammenhang von Fürbitte und Liebe wird mehrfach in der Bibel aufgenommen:

*Wenn jemand behauptet: »Ich liebe Gott«, und dabei seinen Bruder oder seine Schwester hasst, dann lügt er* (1. Johannes 4,20 a). Jesus betont die Vergebungsbereitschaft, wenn er sagt: *»Aber wenn ihr betet, sollt ihr euren Mitmenschen vergeben, falls ihr etwas gegen sie habt, damit euer Vater im Himmel auch euch die Verfehlungen vergibt«* (Markus 11,25).

Fürbitte ist also nicht eine fromme Kritikveranstaltung vor Gottes Thron, sondern ein Hineingenommenwerden in die Liebe Gottes, die allen Menschen gilt. Wenn ich in meinem Inneren spüre, dass ich keine Liebe von Gott für die Menschen habe, so sollte ich zunächst darum beten. Richard Foster schreibt: *»Fürbitte ist eine Art, den anderen zu lieben.«*

Nun wird man unschwer erkennen können, dass die Fürbitte ja sehr umfangreich ausfallen kann. Wo soll ich anfangen und wo soll ich aufhören zu beten? Soll ich für alle Menschen auf der ganzen Welt beten? Vielleicht kennen wir die Tischgebete, die auch die Hungernden der Welt mit einbeziehen: *»Herr, gib du ihnen zu essen!«* heißt es dann häufig. Sicher ist ein solches Fürbittegebet gut gemeint, aber ich frage mich, wie ernsthaft wir es beten. Fürbitte ist deshalb auch immer sehr konkret. Da geht es um Namen, um

Einzelschicksale, um Menschen, die in unterschiedlichen Verantwortungen stehen.

Die Fürbitte ist nicht in mein Belieben gestellt, sie ist ein Gebot Gottes, das wir mehrfach in der Heiligen Schrift finden. So heißt es: *Das Erste und Wichtigste, wozu ich die Gemeinde aufrufe, ist das Gebet, und zwar für alle Menschen. Bringt Bitten und Fürbitten und Dank für sie alle vor Gott! Betet für die Regierenden und für alle, die Gewalt haben, damit wir in Ruhe und Frieden leben können, in Ehrfurcht vor Gott und in Rechtschaffenheit. So ist es gut und gefällt Gott, unserem Retter. Er will, dass alle Menschen zur Erkenntnis der Wahrheit kommen und gerettet werden* (1. Timotheus 2,1–4).

So, wie ich mir besondere Zeiten des Dankens im Gebet nehme, so nehme ich mir deshalb auch Zeit für die Fürbitte. Verstehe ich das Zeugnis der Bibel richtig, so soll die Fürbitte zunächst bei den engsten Mitmenschen und bei der Gemeinde beginnen, in der man zuhause ist. Als nächstes beten wir für unsere weiteren Bekannten und Freunde, für die christlichen Gemeinden in unserem Ort. Unsere Fürbitte schließt auch jene ein, die im Ausland in der Mission tätig sind, und die große Zahl derer, die um ihres Glaubens an Jesus Christus willen verfolgt werden. Sodann konzentriert sich unsere Fürbitte auch auf jene, die für uns Verantwortung tragen und übernommen haben. Es sind die Politikerinnen und Politiker, die Beamten, die Sicherheitskräfte. Sie dienen dem Staat und dem Gemeinwesen, und sie brauchen besonders unsere Gebetsunterstützung. Gerade in unserer deutschen Kultur sind wir davon geprägt, über jene herzuziehen, die sich in derartigen Aufgaben einbringen, anstatt sie zu unterstützen. Eine solche Unterstützung kann sehr gut im Gebet geschehen.

Oft, wenn ich lange Autofahrten oder Reisen vor mir habe, nehme ich mir solche Fürbittezeiten. Ich beginne natürlich bei meiner engsten Familie, dann gehen meine Gedanken weiter zu den Menschen aus der christlichen Gemeinde, in der ich zuhause bin, und schließlich weitet sich mein Blick zu den Anliegen in der Politik und in der Gesellschaft. Ich bin froh, dass ich in der Fürbitte auch jene Menschen zu Gott bringen kann, die in ihrer Verzweiflung vielleicht gar keinen Zugang mehr zu Gott finden, weil sie durch Naturkatastrophen oder ähnliche Ereignisse wie gelähmt sind. Ich bete, dass sie in ihrer Not Kontakt zum lebendigen Gott finden, und natürlich, dass ihnen geholfen wird.

Ich kann mich an eine lange Nachtfahrt erinnern. Ich betete auf diese Weise stundenlang und kam beim Morgengrauen erfrischt an meinem Ziel an. – Damit kein falscher Eindruck entsteht: Die meisten meiner Fürbittezeiten sind deutlich kürzer!

Aber ich habe mir überlegt, dass ich bei gewissen Gewohnheiten auch Fürbittestationen habe. Wenn ich zum Beispiel morgens mit unserem kleinen Hund einen Spaziergang mache, so ist unsere »Route« immer gleich. Ich komme an unterschiedlichen Häusern und Wiesen und Bäumen vorbei. Dieser Morgenspaziergang ist immer auch ein Fürbitte-Spaziergang für mich. In dieser Zeit bete ich für meine Kinder und für die Jugendlichen, die in unserer Gemeinde sind.

Ähnlich nutze ich die Zeit, wenn ich im Fitnessstudio bin. An jedem Fitnessgerät bete ich für jeweils unterschiedliche Anliegen. Sicher, ein solches Gebet ist dann häufig nicht so konzentriert, aber es ist auch nicht vergeblich.

Fürbitte ist meist eine Angelegenheit von Dauer. Nur wenige meiner Gebete werden sozusagen »instant« erhört. Manche Anliegen, manche Menschen bringe ich im Gebet Tag für Tag, Woche für Woche oder auch Jahr für Jahr vor das Angesicht Gottes. Ich glaube, dass keines dieser Gebete vergeblich ist. Besonders ermutigt hat mich diesbezüglich das Beispiel einer älteren Dame, die vor einigen Jahren in unsere Gemeinde kam.

Elsa war schon weit über 70 Jahre alt und eine sehr gebrechliche Frau. Sie liebte Gott und war eine starke Beterin. Gott hatte sie einen schweren Lebensweg geführt. Vor einigen Jahren, so berichtete sie mir, hatte sich die ganze Familie bereits um ihr Krankenhausbett versammelt, um von ihr Abschied zu nehmen. Sie litt »hoffnungslos« an Krebs. Doch Gott hat ein Wunder getan. Sie wurde durch Gebet vollkommen geheilt.

Obwohl alle in ihrer Familie das erkennen konnten, hatte sich ihr Sohn für ein Leben ohne Gott entschieden. Elsa litt darunter, dass er zunehmend dem Alkohol verfiel und spielsüchtig wurde. Die damit verbundene soziale Not ließ sie zu Gott schreien. Sie hatte schon über Jahre gebetet, doch anscheinend tat sich nichts. Im Gegenteil, ihr Sohn glitt immer mehr ab in das soziale Chaos. Dennoch hörte sie nicht auf, unter Tränen für ihren Sohn zu Gott zu flehen.

Eines Tages, es war ein Erntedankfest, kam ihr Sohn wie durch ein Wunder mit in den Gottesdienst. Natürlich fiel er mir gleich auf, und auch ich betete: »Herr, erhöre doch unsere Gebete!« Nach dem Gottesdienst kam er zielstrebig auf mich zu: »Ich muss mich heute bekehren!« sagte er entschlossen. »Gott hat zu mir geredet! Ich kapituliere! Ich schaffe es ohne Gott nicht mehr. Nimmt er mich an? Gibt es eine Chance für mich?« Wir zogen uns zurück in ein Gesprächszimmer.

Selten habe ich eine radikalere Bekehrung erlebt als bei diesem Mann. Nicht nur, dass er von Stund' an nicht mehr zum Alkohol griff geschweige denn ins Spielcasino ging; er ordnete sein Leben. Auch seine Frau und seine Kinder kamen schließlich zum Glauben.

Und Elsa konnte die Freudentränen nicht zurückhalten, als ihr Sohn dann vor der Gemeinde berichtete, was Gott an ihm getan hat.

Wer Fürbitte tut, der braucht häufig einen langen Atem und muss immer wieder die Hoffnung im Herzen tragen. »Wir müssen dasselbe Gebet

nicht nur einmal oder zweimal wiederholen, sondern so oft wie nötig, hundertmal und tausend-
mal. Beim Warten auf die Hilfe Gottes dürfen
wir niemals ermüden«, schreibt der Reformator
Johannes Calvin (1509–1564).

Der Fürbitter sieht die Dinge und Menschen,
wie sie sein könnten, wenn Gott Einfluss nimmt.
Dabei können in der Zeit der Fürbitte zwei
erstaunliche Dinge geschehen: Zum einen kann
es sein, dass aus einer Fürbitte ein ganz persön-
licher Auftrag von Gott für mich wird. Da beten
wir zum Beispiel für jemanden, der krank ist, und
uns kommt der Gedanke, dass wir den Betref-
fenden doch besuchen sollten. Oder: Wir beten
für jemanden, der in finanzieller Not ist, und wir
empfinden den Auftrag, ihn selbst finanziell zu
unterstützen. Viele Gebete erhört Gott, indem er
uns dazu gebraucht.

Eine weitere Entdeckung hat bereits Hiob
gemacht. Nach seiner langen Leidensgeschichte,
die uns in der Bibel geschildert wird, heißt es am
Ende: *Nachdem Hiob für seine drei Freunde
gebetet hatte, ließ der Herr ihn wieder gesund
werden und gab ihm zweimal so viel, wie er
vorher besessen hatte* (Hiob 42,10). Die Fürbitte
hat auch so etwas wie eine heilende Wirkung auf
den Fürbitter. Es scheint Gott zu gefallen, wenn

wir von uns wegsehen und uns die Not anderer Menschen auf unser Herz legen lassen. Gott wird dann für uns sorgen.

Es gibt viele Menschen, die den Eindruck haben, dass es ihnen persönlich sehr schlecht geht und sie innerlich gar keine Kapazitäten haben, um in der Fürbitte für andere Menschen einzustehen. Vielleicht haben sie innerlich so wenig Kraft, weil sie so wenig für andere Menschen einstehen? Vielleicht fehlt ihnen die reinigende Kraft der Fürbitte, von der der Theologe Dietrich Bonhoeffer (1906–1945) schreibt: »Fürbitte ist das reinigende Bad, in das der einzelne und die Gemeinschaft jeden Tag getaucht werden müssen.«

Ich lade Sie ein, sich Zeit zu nehmen und anzufangen, intensiv für die Menschen in Ihrer unmittelbaren und Ihrer weiteren Umgebung zu beten. Lernen Sie, von sich selbst wegzuschauen und andere Menschen mit den Augen Jesu zu sehen. Sie werden staunen, wie spannend das Gebetsleben sein kann!

!mpuls:

# 4.

# Weil ich Gott anbeten will

»Bete Gott an!«
Offenbarung 19,10 b

Dieser schlichte Aufruf steht im letzten Buch der Bibel, er zieht sich jedoch wie ein roter Faden durch die gesamte Heilige Schrift. Anbetung ist der Ausdruck meiner Wertschätzung und Anerkennung. In der Anbetung Gottes dreht sich nichts um meine Person, es geht schlicht und ergreifend um Gott selber. Während ich in den Dankgebeten, den Bittgebeten oder auch der Fürbitte immer konkrete Lebenssituationen vor Augen habe, versuche ich in der Anbetung, mein Augenmerk ganz und gar auf Gott zu lenken.

Ich danke Gott, weil es mir gut geht, aber ich bete ihn an, weil er gut ist. Das ist völlig unabhängig von meiner Befindlichkeit. Gott ist der ewige Gott, der sich zwar in Raum und Zeit offenbart hat, der aber nicht an Raum und Zeit gebunden ist.

Aber was, oder besser gesagt: wen haben wir uns denn vorzustellen, wenn wir Gott anbeten? Jesus lehrt uns: *»Aber die Stunde kommt, ja sie ist schon gekommen, da wird der Heilige Geist, der Gottes Wahrheit enthüllt, Menschen befähigen, den Vater an jedem Ort anzubeten. Gott ist ganz anders als diese Welt, er ist machtvoller Geist, und alle, die ihn anbeten wollen, müssen vom Geist der Wahrheit erfüllt sein«* (Johannes 4,23 a). Die Kirche hat sehr bald erkannt, dass der eine lebendige Gott der Bibel sich als der dreieinige Gott offenbart hat: Als Gott-Vater, als Gott-Sohn und als Gott-Heiliger Geist. Viele Bücher sind inzwischen geschrieben worden, um das Geheimnis der Dreieinigkeit Gottes besser erklären zu können. Wir haben uns sicher einzugestehen, dass unser menschlicher Verstand hier an Grenzen kommt. Die Geheimnisse Gottes, die wir in der Kirchengeschichte auch als Mysterien zu deuten gelernt haben, eröffnen sich in ihrer Wahrheit am ehesten in der Anbetung. Und doch ist gerade auch die Offenbarung Gottes in der Dreieinigkeit eine sehr große Hilfe für den Anbeter.

Wir haben Gott als den Vater der Barmherzigkeit und des Lichts vor Augen, als den, von dem alles herkommt und auf den alles bezogen ist. Wir verehren in Jesus den Sohn Gottes, den Erlöser dieser Welt. Wir beten ihn jetzt schon an, so wie es einmal alle Menschen tun werden: *Vor Jesus müssen alle auf die Knie fallen – alle, die im Himmel sind, auf der Erde und unter der Erde; alle müssen feierlich bekennen: »Jesus Christus ist der Herr!« Und so wird Gott, der Vater, geehrt* (Philipper 2,10–11). Die Anbetung gilt auch Gott, dem Heiligen Geist, denn: *Gott ist ganz anders als diese Welt, er ist machtvoller Geist, und alle, die ihn anbeten wollen, müssen vom Geist der Wahrheit erfüllt sein«* (Johannes 4,23 a). Der Geist Gottes wird nicht nur angebetet, sondern er hilft uns auch, anzubeten. Er ist für den Glaubenden wie ein innerer Führer, der ihn in die Wahrheit leitet: *Aber wenn der Helfer kommt, der Geist der Wahrheit, wird er euch anleiten, in der vollen Wahrheit zu leben. Was er euch sagen wird, hat er nicht von sich selbst, sondern er wird euch nur sagen, was er hört. Er wird euch jeweils vorbereiten auf das, was auf euch zukommt* (Johannes 16,13).

Es ist schon eigenartig, dass selbst gestandene Christen immer wieder Bedenken haben, wenn es darum geht, den dreieinigen Gott anzubeten und zu verehren. Wir haben Gott nur als Vater, Sohn und Heiligen Geist, in dieser Dreifaltigkeit. Wir werden nie den Vater, den Sohn oder den Geist alleine haben können.

Anbetung ist der höchste Ausdruck meines Menschseins. In der Anbetung vergewissere ich mich der Tatsache, dass meine Bestimmung nur in einer Relation zu dem lebendigen Gott auszumachen ist. Indem ich mich innerlich auf das Wesen und die wunderbaren Taten Gottes konzentriere und sie anerkennend, bekennend und lobend zum Ausdruck bringe, werde ich mir mehr und mehr meiner eigenen Berufung bewusst. Vielleicht hat der Apostel Paulus daran gedacht, als er an die Korinther schrieb: *Wir alle sehen in Christus mit unverhülltem Gesicht die Herrlichkeit Gottes wie in einem Spiegel. Dabei werden wir selbst in das Spiegelbild verwandelt und bekommen mehr und mehr Anteil an der göttlichen Herrlichkeit. Das bewirkt der Herr durch seinen Geist* (2. Korinther 3,18).

Menschen, die viel anbeten, strahlen etwas von diesem Wesen Gottes aus. Es ist, als ob sie die Heiligkeit Gottes in ihrem Wesen tragen. Manchmal denke ich auch daran, wenn ich an Orte der Gottesanbetung komme, etwa in Kirchen, in Altarräume oder einfach in schlichte Stätten der Anbetung in den Wohnhäusern. Ich glaube, man kann spüren, ob in einem Haus viel gebetet wird, und vor allen Dingen, ob in einem Haus viel angebetet wird.

Vor einigen Jahren war ich zu einer Studienreise in Westafrika unterwegs. Meine Gastgeber führten mich in ein sehr entlegenes Dorf, wo die so genannte westliche Zivilisation noch nicht angekommen war. Doch die Botschaft von Jesus Christus war hier bereits angekommen. Ein katholischer Priester hatte dafür gelebt, jenen Menschen die gute Nachricht von der Erlösung durch Jesus nahe zu bringen. Viele Jahre hatte er mit ihnen verbracht. Nun war in diesem Ort eine kleine christliche Gemeinde entstanden.

Als wir nach einem langen Fußmarsch in diesem Dorf eintrafen, war ich zunächst erschüttert und fasziniert zugleich, wie einfach ein Mensch leben kann. Nach meinem Maßstab traf ich hier auf entsetzliche Armut. Aber wohl selten in meinem Leben habe ich so strahlende und glückliche Menschen gesehen.

Schließlich wurden wir in die »Kirche« des Dorfes geführt. Es war eine große Lehmhütte.

Es gab keine Bänke und kaum Licht. Ein kleines Feuer brannte am Altar und ein Holzkreuz war zu erkennen. Selten habe ich einen Ort getroffen, wo ich so deutlich spüren konnte, dass hier viel angebetet wird. Die Anbetung Gottes verändert Menschen und Orte.

In der Anbetung Gottes drücke ich aus, dass Gott mir wichtiger ist als alles andere. Wir können auch von einem Lebensstil der Anbetung sprechen. Ein solcher Lebensstil hat zum Ziel, dass ich Gott nicht länger als Teil *meines* Lebens sehe, sondern dass ich mich als Teil *seines* Lebens begreife.

Die Kirchengeschichte spiegelt den ganzen Reichtum der Vielfalt der Anbetung Gottes wieder, wie wir sie ja auch in der Bibel finden. Da loben und preisen die Menschen Gott, sie lobsingen, sie jauchzen und jubeln, sie werfen sich vor ihm nieder oder sie knien vor ihm; sie bekennen und benennen das wunderbare Wesen und die großen Taten Gottes. Das Lob und die Anbetung Gottes soll auch gehört werden, die ganze Welt, die Erde wird einbezogen in die Anbetung: Bäume sollen in die Hände klatschen und das Meer soll Gott loben. Die ganze Schöpfung wird als ein anbetender Organismus begriffen (vgl. Psalm 104). Der Lobgesang und die Musik spielen dabei eine besondere Rolle. Häufig finden wir die Aussage, dass die Anbetung Gottes gesungen wird. So spiegeln die über 2 000 Jahre Kirchengeschichte denn auch die ganze Palette des Reichtums wieder: Wir finden großartige Choräle und Oratorien, wir finden Gospelsongs und volkstümliche Heilslieder, wir finden gregorianische Gesänge und Liturgien und wir finden die vielen unterschiedlichen zeitgenössischen Lobpreis-Lieder, die inzwischen in vielen Gemeinden gesungen werden. Oft nehmen diese Chorusse Bibelverse auf, um Gott mit den Worten der Heiligen Schrift anzubeten. Viele Psalmen der Bibel sind Lob-und Anbetungspsalmen und auf vielfältige Weise vertont worden.

Wir Menschen sind sehr verschieden und so unterschiedlich kann auch die Art sein, in der wir Gott anbeten. Allein die verschiedenen kirchlichen Konfessionen geben hier schon unterschiedliche Charaktere vor. Es gibt Kirchen, in denen die Liturgie und die Stille vor Gott als Ausdruck tiefster Anbetung verstanden werden. Die orthodoxen Kirchen haben hier einen besonderen Akzent gesetzt. In den meisten protestan-

42

tischen Kirchen steht immer noch die Predigt im Mittelpunkt des Gottesdienstes; manche meinen sogar, von einem »Vorprogramm« sprechen zu können, wenn die Gemeinde Gott durch Lieder lobt. In vielen protestantischen Kirchen hat es jedoch in den letzten Jahren ein Umdenken gegeben. Es gab wohl selten eine Zeit in der Kirchengeschichte, in der so viele neue Anbetungslieder entstanden sind. In vielen Gemeinden ist die Lobpreis-Zeit zu einem festen Bestandteil der Gottesdienste geworden. In diesen Zeiten geschehen oft erstaunliche Dinge: Menschen erfahren Gott auf eine Weise, die durch nichts zu ersetzen ist.

Es ist zu beobachten, dass auch die liturgische Spiritualität mit ihren verschiedenen Ausdrucksformen des kontemplativen Gebets zunehmend auf Interesse stößt, und zwar besonders bei jungen Menschen. Vielleicht liegt es daran, dass sie im Singen alter Kirchenlieder und Liturgien oder auch der weltweit bekannt gewordenen Taizé-Gesänge die Erfahrung machen, die sie so sehr suchen: Ich bin eingebunden in etwas Größeres, ich bin Teil der Geschichte, die Gott mit dieser Welt hat.

Besonders erhebend ist diese Erfahrung in einer internationalen oder auch überkonfessionellen Gemeinschaft von Anbetern. Für mich waren das die stärksten und bewegendsten Augenblicke in meinem Leben mit Gott, wenn ich gemeinsam mit Menschen aus anderen christlichen Konfessionen das eine Ziel hatte: Wir alle wollen diesen Gott ehren und anbeten!

Nun ist es sicher eine Sache, in einer großen Versammlung oder auch in einer kleineren Gruppe Zeiten des Lobpreises und der Anbetung zu haben. Wie aber sieht das im Alltag aus? Ich möchte hier noch einmal an das Stichwort »Lebensstil der Anbetung« erinnern. Zunächst geht es um die Einübung einer Lebensauffassung, die Gott wichtiger nimmt als alles andere.

Sodann ist jeder selber gefragt, seinen Gaben und Talenten und Möglichkeiten entsprechend Zeiten der Anbetung in seinem Alltag einzuräumen. Das kann ein kurzes Anbetungs- und Lobgebet am Morgen unmittelbar nach dem Aufstehen sein: »Gelobt seist du, Herr, mein Gott! Du bist mein Erlöser!« Anbetung im Alltag kann sich aber auch in Liedern ausdrücken, die ich Gott zwischendurch singe, etwa bei alltäglichen Aufgaben: Im Bad, in der Küche, im Garten, bei Hausarbeiten, und machmal ist es auch während der Arbeit möglich. Wenn jemand nicht so gut singen kann, muss er nicht gleich verzagen: Man kann Gott ebenso durch das Bekennen mit wohlüberlegten Worten anbeten. Man kann einen persönlichen Psalm schreiben oder die in der Bibel wiedergegebenen Psalmen auswendig lernen und sich so zu eigen machen. Auch körperliche Ausdrucksformen dürfen die ganze mir angemessene Vielfalt ausdrücken: Ich kann niederknien vor Gott; ich kann meine Hände in der Anbetung erheben oder ich kann vor Freude tanzen. Lassen Sie ihre Phantasie spielen! Wenn ich einem Menschen meine Wertschätzung zum Ausdruck bringen will, dann lasse ich mir ja auch etwas einfallen!

Gerne möchte ich Ihnen am Ende dieses Kapitels von einem solchen Erleben berichten.

Seit einigen Monaten schon war ich sehr viel unterwegs im In- und Ausland. Ich hielt viele Vorträge und war oft bis in die Nacht hinein mit Vorbereitungen beschäftigt. Man kann auch sagen: Es war eine der stressreichsten Zeiten meines Lebens. Dann war ich zu Vorträgen in Schweden. Durch eine Terminverschiebung hatte ich plötzlich einen ganzen Nachmittag frei. Natürlich hatte ich mir viel Arbeit mitgenommen und ich hätte die Zeit gut nutzen können, um weiter an meinen nächsten Vorträge zu feilen.

Doch ich entschied mich, einen Nachmittag der Anbetung zu haben. Zunächst sang ich einige Loblieder und las einige Psalmen. Doch wie sollte das bloß den ganzen Nachmittag über vier Stunden gehen? So entschloss ich mich, auf einen nahegelegenen Berg zu steigen. Ich wollte mit Gott allein sein, ihm Loblieder singen und ihn gemeinsam mit seiner Schöpfung preisen.

Es war für mich ein besonderes Erlebnis. Ich kann mich entsinnen, dass ich einen wunderschönen Stein, den ich auf dem Weg gefunden hatte, fast eine ganze Stunde lang in der Hand hielt. Wie alt würde dieser Stein wohl sein? Und so lobte ich Gott »mit dem Stein« entlang der vielen Jahre und Jahrhunderte für seine Treue und Liebe, die er uns Menschen gezeigt hat.

Dann gab es längere Zeiten, da habe ich gar nichts von mir gegeben. Ich fühlte mich Gott einfach sehr nahe. Ich stellte mir vor, dass jeder Atemzug, den ich tat, ein Lob Gottes war. Mit jedem Atemzug wollte ich bekennen: Gott, du bist gut!

Die Stunden vergingen wie im Flug. Selten empfand ich Gottes Nähe so deutlich. Und ich kam innerlich und äußerlich erfrischt und gestärkt aus dieser Zeit der Anbetung Gottes.

Vielleicht möchten Sie in Ihrem Alltag neu nach den passenden Formen und Möglichkeiten suchen, Gott anzubeten? Ich ermutige Sie zu einem Lebensstil der Anbetung des lebendigen, dreieinigen Gottes!

## !mpuls:

# 5. Weil ich auf Gott hören will

*Meine Schafe hören meine Stimme.*
Johannes 10,27 a (Luther)

Wenn ich mir vorstelle, dass ich als Mensch mit dem lebendigen Gott, dem Schöpfer des Universums, mit dem, dem alle Macht gegeben ist, reden kann, reden darf, ja reden soll, dann erfüllt mich das mit Erstaunen und einer großen Dankbarkeit. Was ist das für ein Gott, der die millionenfachen Bitten und Schreie der Menschen hört und für sie nach einem Weg sucht, damit sie leben können?!

Beten hat aber nicht nur diese aktive menschliche Seite, bei der wir durch Worte, durch Lieder oder auch durch unsere Gestik unsere Anliegen und unsere Wertschätzung Gott gegenüber zum Ausdruck bringen. Es gibt auch eine passive menschliche Seite, wenn man denn das Hören als etwas Passives beschreiben will. Da sind wir still, da schütten wir nicht mehr unsere ganzen Anliegen vor Gott aus. Sondern in der Stille lernen wir, zu schweigen und auf seine Stimme zu hören. Wenn es schon aufregend ist, mit dem lebendigen Gott reden zu können, so ist es für mich noch aufregender, auf den lebendigen Gott hören zu können. Jesus macht deutlich, dass ein Mensch von diesen Worten Gottes genauso lebt wie von der täglichen Ernährung: *»In den Heiligen Schriften steht: Der Mensch lebt nicht nur von Brot; er lebt von jedem Wort, das Gott spricht«* (Matthäus 4,4).

Das Wort Gottes begegnet uns in der Gestalt Jesu Christi, denn: *Er, das Wort, wurde ein Mensch, ein wirklicher Mensch von Fleisch und Blut* (Johannes 1,14 a). Auf Gottes Worte hören, heißt also zu allererst auf Jesus selber hören. Wir haben heute die Bibel des Alten und Neuen Testaments, wir können die Worte Jesu lesen und so das Wort Gottes in uns aufnehmen. Gott ist nicht stumm und er ist auch nicht zurückhaltend in dem, was er uns Menschen sagt.

Neben dem gelesenen Wort Gottes können wir auch das gepredigte Wort Gottes hören, aus dem der Glaube erwachsen soll: *Der Glaube kommt also aus dem Hören der Botschaft; die Botschaft aber gründet in dem Auftrag, den Christus gegeben hat* (Römer 10,17). Wir leben in der glücklichen Situation, dass in unserem Land heute jeder, der es wünscht, Zugang finden kann zur Bibel oder auch zur Predigt des Evangeliums.

Darüber hinaus gibt es jedoch auch die persönliche Führung durch den Heiligen Geist, der die Menschen in alle Wahrheit leiten will. Der Geist Gottes ist der eigentliche Interpret des Wortes Gottes in meinem Leben. Er kann einzelne Bibelworte aufleuchten lassen, und für mich werden sie zu einem Leitwort in einer bestimmten Situation. Der Geist Gottes kann mir aber auch durch meinen Verstand, meine Gedanken oder meine Empfindungen Wegweisung und Orientierung geben. Immer ist er darauf bedacht, mir etwas von Jesus weiterzugeben.

Zu einer guten Kommunikation gehört das Reden und das Zuhören. Genauso ist es auch in der Kommunikation mit Gott. Schade, dass viele Menschen ihre Gebetszeiten mit eigenen Worten, Aktivitäten und Anliegen ausfüllen. Mancher empfindet es sogar als peinlich oder langweilig, wenn ihm »der Stoff« ausgegangen ist und es still wird.

Es ist wichtig zu verstehen, dass Beten auch Hören auf Gott ist, und das heißt konkret still zu sein und dem Geist Gottes die Möglichkeit zu geben, in mein Leben hinein zu sprechen.

Vor einigen Jahren bekehrte sich eine junge Frau in unserer Gemeinde. Sie war außerordentlich lebensfroh und natürlich. Nach einigen Wochen stattete ich ihr einen Besuch ab, um mit ihr über ihre neue Beziehung zu Jesus zu sprechen. Ich fragte sie, ob sie regelmäßig in der Bibel lesen würde, was sie bejahte. »Und wie steht es mit dem Gebet?«, wollte ich wissen. »Also meine Hauptgebetszeit ist früh am Morgen«, antwortete sie freudestrahlend. »Da gehe ich den ganzen Tag betend schon einmal durch. Ich wünsche den Menschen, denen ich begegnen werde, eine Erfahrung mit Gott. Dann bringe ich Gott meine ganzen Anliegen und Termine, die ich so habe! Das ist doch okay, oder?« Natürlich war das in Ordnung. Ich freute mich mit der jungen Frau, dass sie so gute Fortschritte im Glauben machte. Doch dann fügte sie hinzu: »Das Interessanteste kommt dann aber erst noch. Dann frage ich Jesus, ob er etwas Besonderes auf dem Herzen hat für diesen Tag, und dass er mir doch sagen soll, was ihm wichtig ist!«

Ich war sehr erstaunt. »Und – was passiert dann?« wollte ich erfahren. Die junge Frau berichtete von Gedanken, die ihr dann manchmal kommen und denen sie nachgeht. Sie sei sich nicht immer sicher, ob das alles von Gott kommen würde. Aber bislang seien ihre Erfahrungen damit sehr gut gewesen.

Nicht jeder lernt gleich am Anfang seines Lebens mit Jesus Christus, so bewusst auch Zeiten des Hörens im Gebet zu haben. Ich selbst bin im Laufe der Jahre immer mehr dahin gekommen, dem Hören und der Stille vor Gott mehr Zeit einzuräumen.

Es ist mir seit Jahren eine Hilfe, dass ich viele meiner Gebetsanliegen in ein kleines Gebetstagebuch schreibe. Aber nicht nur das: Ich schreibe in diesem Tagebuch auch die Gedanken auf, von denen ich meine, dass sie mir von Gott gegeben wurden. Da ich ein stark visueller Typ bin, habe ich häufiger als andere Menschen auch bildhafte Eindrücke, Visionen oder auch schon einmal Träume, die mir am Morgen nach dem Aufwachen sehr präsent sind. Wenn ich auf die letzten vier Jahrzehnte zurückblicke, in denen ich das so handhabe, so könnte ich ein ganzes Buch davon schreiben, welche wunderbaren Erfahrungen ich mit dem hörenden Gebet machen konnte. Eine sehr markante Erfahrung liegt schon einige Jahre zurück.

Ich war bereits im hauptamtlichen Dienst als Landesjugendpastor in Niedersachsen. Eines Tages nahm ich mir viel Zeit zum Gebet. Nachdem ich Gott gedankt hatte und ihm alle meine Anliegen in Bitte und Fürbitte vorgetragen hatte, schloss sich eine Phase an, in der ich weniger redete und mehr hören wollte.

Schon sehr bald dachte ich an einen älteren Pastorenkollegen in unserer Stadt. Er war Pastor der größten Baptistengemeinde in Deutschland und ein brillanter Prediger. Immer wieder wurden meine Gedanken zu ihm gelenkt und ich fing an, für ihn und seinen verantwortungsvollen Dienst zu beten. Doch irgendwie spürte ich, dass Gott mir etwas sagen wollte.

Der Gedanke kam mir: »Lies doch einmal 1. Könige, Kapitel 19!« Ich schlug also meine Bibel auf und las die Geschichte von dem Propheten Elia, wie er auf der Flucht war und in großer innerer Not. Wollte Gott mir sagen, dass auch mein Kollege in großer innerer Not war? Ich kniete mich nieder und betete um so inständiger für ihn und seine Familie. Doch wieder kam der Gedanke: Das ist nicht das Eigentliche. Es war, als ob Gottes Geist mir sagte: »Warum hast du aufgehört zu lesen? Das Kapitel geht noch weiter!«

Ich war etwas verblüfft, musste aber feststellen, dass ich die letzten Verse des Kapitels wirklich nicht gelesen hatte. Dort las ich davon, dass der Prophet Elia seinen Nachfolger Elisa beruft und ihm einen Prophetenmantel umlegte. Als ich diese Worte las, schossen mir die Tränen in die Augen. Sollte das womöglich heißen, dass ich Nachfolger im Dienst meines Kollegen werden sollte? Je mehr ich darüber nachdachte, um so gewisser wurde mir dieser Gedanke. Aber war das nicht unmöglich? Ich war erst 28 Jahre alt und sollte eine solche Aufgabe übernehmen? Und wie sollte ich überhaupt mit einem solchen Impuls umgehen? Wieder war es mir, als ob Gott mir sagte: »Ich wollte nur, dass du weißt, dass ich dich berufe zu dieser Nachfolge. Du sollst gar nichts unternehmen und mit niemanden darüber sprechen.«

Nach etwa einem Jahr hat mich diese Gemeinde tatsächlich als Pastor berufen, wo ich dann 13 Jahre lang dienen durfte. Erst nach meiner Einführung bekam ich von Gott »grünes Licht«, von meinem Berufungserlebnis zu erzählen. Die Gemeinde freute sich und besonders einer der verantwortlichen Mitarbeiter. »Jetzt verstehe ich das!« rief er aus. »Als dein Vorgänger der Gemeinde mitteilte, dass er einen anderen Dienst angenommen habe, hatte ich spontan eine Vision: Ich sah Elia, wie er Elisa den Prophetenmantel umlegte.«

»Eine schöne Geschichte«, mag der eine oder andere denken, »aber warum höre ich Gott nicht so klar?«

Nun, es gibt sicher unterschiedliche Ausprägungen der Fähigkeit, Gottes Reden wahrzunehmen, aber Jesus betont, dass alle seine Nachfolger »seine Stimme hören«: *Die Schafe erkennen seine Stimme ... Sie werden auf meine Stimme hören ...* (Johannes 10,3+16). Bei dem einen geschieht es mehr durch das kontinu-ierliche Bibelstudium, bei dem anderen durch ausgiebige Zeiten der Stille, aber eines ist klar: Gott ist nicht stumm und er hat uns heute viel zu sagen!

Wie aber kann man prüfen, ob die Eindrücke und Impulse, die man im Bibelstudium und in der Stille empfängt, wirklich von Gott sind?

Hierzu gibt es einige Hilfen: Allen voran, ver-suche ich alles, was ich meine von Gott gehört zu haben, an dem biblischen Wort Gottes zu messen. Gott widerspricht sich nicht. Es kann sein, dass jemand, der am Anfang des Weges mit Gott ist, noch nicht so kundig in der Bibel ist. So kann er sich einen erfahrenen Christen an die Seite nehmen und gemeinsam forschen, ob der Impuls sich mit dem deckt, was wir in der Heili-gen Schrift finden.

Ohnehin ist es sinnvoll, bei Unsicherheit immer das Gespräch mit vertrauten Christen zu suchen und die Gedanken gemeinsam vor Gott zu bewegen. Das ist besonders wichtig, wenn ich in einer Angelegenheit selbst ein leitendes Interesse habe. Das macht mich selber oft blind und ein Außenstehender kann die ganze Sache objektiver betrachten.

Bin ich immer noch unsicher, so bitte ich Gott darum, dass er den geistlichen Impuls noch einmal bestätigt, wiederholt oder durch jemand anderen in mein Leben hineinspricht. Wichtig ist auch, dass ich mich dabei nicht unter einen inneren Druck setzen lasse. Wir haben einen heiligen Geist, aber in der Regel keinen eiligen Geist!

Manche Gedanken und Impulse schreibe ich einfach erst einmal in mein Tagebuch und warte dann, wie sich die Dinge weiterentwickeln. Wir müssen lernen, dass Gott andere Zeitvorstellungen hat als wir.

Vielleicht hört sich das für Sie etwas kompliziert an; im Kern ist es eine ganz schlichte Tatsache. Ich lade Sie deshalb ein, in Ihren Gebetszeiten auch feste Zeiten für das hörende Gebet einzuräumen. Nehmen Sie die Impulse ernst und bewegen Sie diese weiter im Gebet, bis Ihnen daraus eine Gewissheit wird. Sie werden erfahren, wie wunderbar es ist, wenn aus einem monologischen Gebet ein Dialog mit Gott wird.

### !mpuls:

# 6. Weil ich dadurch gestärkt werde

*Seid stark in dem Herrn und in*
*der Macht seiner Stärke.*
Epheser 6,10 (Luther)

Wer betet, der bekommt es mit der unsichtbaren Welt zu tun, mit der nicht sichtbaren Realität, wie sie uns auch in der Bibel beschrieben wird. Ein betender Mensch ist sensibel für diese Realität.

Viele Menschen beten heute ganz allgemein zu irgendeinem höheren Wesen oder einer höheren Macht. Die Bibel zeigt deutlich, dass es nur einen Gott gibt, der wirklich Autorität hat: Es ist der Gott Israels, der Vater unseres Herrn Jesus Christus. Deshalb beten wir nie zu anderen Autoritäten, auch wenn sie sich in der unsichtbaren Welt manifestieren mögen, wie immer sie heißen mögen und was immer sie bewirken wollen. Wir haben Zugang zu dieser göttlichen Wirklichkeit, aber ausschließlich über Jesus Christus. Deshalb bete ich im Namen des Herrn Jesus Christus.

Die Bibel verschweigt uns nicht, dass es in der unsichtbaren Welt auch andere Mächte gibt. Sie spricht von Gewalten, von finsteren Mächten und schließlich sehr eindeutig von Satan mit seinen unterschiedlichen Aktivitäten: *Denn wir kämpfen nicht gegen Menschen. Wir kämpfen gegen unsichtbare Mächte und Gewalten, gegen die bösen Geister, die diese finstere Welt beherrschen* (Epheser 6,12). Würde ich diese finsteren Mächte einfach nur ignorieren, so kann ich durch meine Unwissenheit und Unbelehrbarkeit innerlich in ihre Netze geraten. Immer noch meinen aufgeklärte Christen, die Passagen des Neuen Testaments, die über Satan und seine Wirksamkeit berichten, einem veralteten Weltbild zurechnen zu dürfen. Das Böse wird dann als ein innermenschliches Phänomen gedeutet oder als etwas, dass nach der Auferstehung keine Autorität mehr habe. Allein der Blick in die Geschichte der Welt macht deutlich, dass das Böse nicht nur einzelne Menschen als aktive unsichtbare Kraft angreifen kann, sondern dass auch ganze Völker oder Systeme unter den Einfluss antichristlicher Mächte geraten können.

Nun will ich an dieser Stelle nicht Angst schüren, aber ich möchte Sie sensibel machen für diese Dimension des geistlichen Lebens. Es ist ja nicht etwa so, dass ein Mensch, der sich zu Christus hält und ihm nachfolgt, für den Satan uninteressant wäre. Zwar wird Satan aus seiner Kraft niemanden aus der Hand Jesu rauben können, aber der Böse kann uns lähmen, uns schläfrig und träge machen. Er will nicht, dass durch unser Lebenszeugnis andere Menschen ermutigt werden, ebenfalls an Jesus Christus zu glauben und ihm nachzufolgen.

So berichtet uns die Heilige Schrift viel von derartigen Angriffen des Bösen. Jesus ruft seine Jünger mehrfach auf: *»Bleibt wach und betet, damit ihr in der kommenden Prüfung nicht versagt«* (Matthäus 26,41 u. a.). Jesus selbst hatte die Auseinandersetzung mit der Macht der Finsternis zu führen. Aber auch die Jünger und die ersten Christen wissen von diesen Schwächungsversuchen des Satans. Besonders gezielt wird dieser Zustand im Brief an die Epheser betont. Dort heißt es: *Darum greift zu den Waffen Gottes! Wenn dann der schlimme Tag kommt, könnt ihr Widerstand leisten, jeden Feind niederkämpfen und siegreich das Feld behaupten. Seid also bereit! Legt die Wahrheit* als Gürtel um und die Gerechtigkeit als Panzer an. Bekleidet euch an den Füßen mit der Bereitschaft, die Gute Nachricht vom Frieden mit Gott zu verkünden. Vor allem haltet das Vertrauen auf Gott als Schild vor euch, mit dem ihr alle Brandpfeile des Satans abfangen könnt. Die Gewissheit eurer Rettung sei euer Helm und das Wort Gottes das Schwert, das der Geist euch gibt. Betet dabei zu jeder Zeit und bittet Gott in der Kraft seines Geistes. Seid wach und hört nicht auf, für alle Gläubigen zu beten (Epheser 6,13–18).

Das hört sich geradezu militärisch an, und so manchem ist diese Seite des Lebens fremd. Fremd ist uns aber nicht die Realität des Angefochtenseins, der Angriffe durch dunkle Gedanken, durch körperliche oder seelische Gebrechen, durch plötzlich auftretende Nöte in der Familie oder in der Gemeinde u. v. a. m. Wir sind in solchen Situationen aufgerufen, zu kämpfen, allerdings in der Macht seiner Stärke.

Es geht hier nicht um meine seelische Disziplin, um möglichst lange Gebetszeiten. Es geht im wesentlichen darum, dass ich mir im Gebet bewusst werde: Ich lebe aus der Kraft Gottes, ich lebe aus der Stärke des Herrn Jesus Christus! Manchmal geht es mir sogar so, dass ich um so mutiger und entschlossener vorangehe, je mehr ich angefochten werde, nach dem Motto: »Satan, du kriegst mich nicht platt! Jetzt werde ich erst recht für Jesus leben!« Manchmal fange ich dann an, ein Bibelwort immer und immer zu wiederholen, ein Wort, das von der Kraft Gottes erzählt; manchmal rufe ich auch nur laut den Namen Jesus aus. Es gibt auch Zeiten, da beginne ich, Loblieder zu singen, oder ich fange an, das auszusprechen, was für mein Leben gilt: »Jesus, du bist meine Gerechtigkeit, Satan kann mich nicht angreifen! Jesus, ich glaube dir mehr als allen Empfindungen und allen zweifelnden Gedanken!« Das Bekenntnis dieser biblischen Wahrheiten ist ein großes Bollwerk gegen diese Angriffe des Bösen.

Manchmal ist es auch angebracht, einfach Menschen zu suchen, denen man etwas von der Guten Nachricht von Jesus weitergeben darf. Das geschieht dann meist in aller Schwäche, aber oft sehr effektiv.

Vor einigen Jahren begann ich, auch im überregionalen Bereich missionarische Einsätze mit Gemeinden durchzuführen. Das bereitete mir sehr viel Freude.

Wieder einmal war der Zeitpunkt gekommen, und schon im Vorfeld merkte ich, wie Satan mich schwächen wollte. Zunächst waren es leichte Krankheitssymptome, dann kamen starke Selbstzweifel auf, die sich schließlich in depressive Stimmungen verwandelten. Schon wollte ich meinen Einsatz absagen, doch dann besann ich mich auf die Stärke Jesu! »Es kann ja sein, Herr, dass der Satan mir nur deutlich machen soll, wie schwach ich ohne dich bin. Aber mit dir kann mich nichts in der Welt abhalten, diesen Missionseinsatz durchzuführen!«, betete ich. Ich fühlte mich innerlich sehr gestärkt.

Der Tag kam, dass ich mich von meiner Familie verabschieden musste. Kurz vor der Abreise geriet unsere Küche in Brand; meine Frau und eines unserer Kinder waren in der Küche. Ich schrie zu Gott! Wie durch ein Wunder konnte ich die Flammen selbst löschen. Zwar war der Sachschaden erheblich, aber niemand war körperlich zu Schaden gekommen!

Wir priesen Gott über dieser Bewahrung und sagten erneut: »Herr, jetzt erst recht! Das müssen ja gute Tage werden!«

Und so geschah es auch. Viele Menschen kamen in diesen Tagen zum Glauben an Jesus Christus.

Ich habe manche Anfechtungen massivster Art erlebt. Vor einiger Zeit fand ich ein Satanssymbol an meiner Hauswand und darunter stand die Drohung: »Du wirst sterben!« Zunächst war ich völlig verwirrt, sodann nahm ich Farbe und Pinsel und übermalte die Anklage. Dabei sagte ich immer wieder laut: »Herr, du bist stärker als alles andere in der Welt! Ich werde niemals sterben, weil Satan es will, sondern ich werde erst dann zu dir kommen, wenn du mich rufst!«

Nicht immer bin ich so kühn und entschlossen. Ich kenne auch die Zeiten, in denen ich innerlich oder auch körperlich so schwach bin, dass mir jegliche Energie zu einem inneren Kampf fehlt. Das ist nicht weiter schlimm, weil ich nicht allein bin auf dieser Welt. Es gibt andere Christen, mit denen ich verbunden bin. So rufe ich sie manchmal in meiner Verzweiflung an, ich schreibe eine E-Mail oder einen persönlichen Brief und bitte sie um Gebetsunterstützung. Wenn schon der persönliche wachsame Widerstand gut ist, so ist das Eintreten für Freunde, die selbst keine Kraft haben, noch etwas Größeres. Gott kommt und er steht uns bei und stärkt uns.

Deshalb bete ich, weil ich ohne die Kraft Gottes diesen Angriffen selber nicht standhalten könnte. Aber mit der Kraft Gottes bin ich gestärkt. Ich erfahre diese Stärkung dadurch, dass ich mir zutiefst bewusst werde, dass Gott auf meiner Seite steht und dass er mit mir ist. Und ich erfahre die Stärkung durch Worte des Zuspruchs anderer Menschen oder auch durch die Fürbitte anderer Menschen.

Warum wollen Sie sich alleine durch die unsichtbare Welt kämpfen? Ich lade Sie ein, sich ganz auf die Seite Jesu zu schlagen, ja, ihn anzuziehen wie eine Ausrüstung. Und zwar täglich. Sie werden dabei gute Erfahrungen machen.

!mpuls:

# 7. Weil ich Gott liebe

*»Ja, Herr, du weißt, dass ich dich liebe.«*
Johannes 21,15

D as Gebet ist allen voran ein Ausdruck der Liebe zu Gott. Es mag ja viele Gründe geben, warum ein Mensch Gott seinen Dank und seine Anbetung bringt, seine Bitten und Fürbitten vorträgt oder warum er nach dem Willen Gottes fragt und im hörenden Gebet die Stille vor Gott sucht. Manchmal habe ich mich dabei ertappt, dass mein Gebet wie eine Art Dienstbesprechung vor Gott war. Ich dankte Gott für dieses und jenes und sodann ging es betend in die strategische »Besprechung« für den Tag oder die nächste Zeit. Ich wollte Gott vieles mitteilen und vieles von ihm wissen. Nur: Wollte ich eigentlich wirklich Zeit mit ihm verbringen? Hatte ich wirkliches Interesse an Gott selber?

Besonders wir Männer neigen ja dazu, unsere Kommunikation auf Informationen zu beschränken. Wir finden oft nicht die richtigen Worte, um unsere Empfindungen zu beschreiben oder auch unsere Liebe auszudrücken. Das schlägt sich auch im Gebet nieder. Ich selber merke, wie ich Gott meine Liebe gerne dadurch zeigen möchte, indem ich etwas für ihn tue. Also rede ich mit ihm über das, »was ansteht«, über die Termine, die Planungen und Vorhaben ..., aber nur selten über mich selber.

Sicher, wer liebt, wird seine Liebe auch immer auf unterschiedliche Weise zum Ausdruck bringen. Ein redegewandter Mensch wird viele Worte finden und ein wortkarger Zeitgenosse wird sich vielleicht auf die kleinen schlichten drei Worte: »Ich liebe dich« beschränken. Und wir drücken unsere Liebe ja nicht nur in unseren Worten aus, sondern auch in unserem Verhalten. In unserer Zeit, die wir mit dem anderen verbringen, oder auch in dem, was wir dem anderen schenken und anvertrauen. Wenn es schon im Zwischenmenschlichen nicht so ganz einfach ist, so scheint es mit Gott zuweilen noch komplizierter zu sein.

67

Wie kann ich Gott meine Liebe zum Ausdruck bringen? Ich lerne es, nach Worten zu ringen. Schon früh habe ich mir angewöhnt, Gott so etwas wie »Liebesbriefe« zu schreiben. In meinem Tagebuch gibt es eine ganze Reihe solcher Liebesbriefe an Gott. Ich versuche, ihn mit Worten zu lieben. Aber ich versuche es zum Beispiel auch mit dem gesungenen Gebet, mit einem Lied, das ich einfach so für ihn allein singe, um ihn damit meine Liebe zum Ausdruck zu bringen. Ein solches Lied, was ich häufig singe, lautet:

*»Ich lieb' dich Herr! Keiner ist wie du!*
*Anbetend neigt sich mein Herz dir zu.*
*Mein König Gott, nimm dies Lied von mir.*
*Lass mich, Herr,*
*ein Wohlklang sein vor dir!«*

Oder ich singe auch die alten bekannten Choräle und Heilslieder, die von meiner Liebe zu Gott sprechen. Manchmal habe ich auch den Eindruck, dass alle Worte meine Liebe zu Gott nicht wirklich fassen können. Ab und zu habe ich dann auch schon einmal ein Bild gemalt, ein Bild, das meine Liebe zu dem Herrn aller Herren ausdrücken soll. Und schließlich lerne ich es immer mehr, mein ganzes Leben als einen Ausdruck der Liebe zu Gott zu verstehen.

Wenn man jemanden liebt, so versucht man doch, so viel Zeit wie möglich mit dieser Person zu verbringen. Verliebte machen lange Wege und teilweise unsinnige Dinge, nur um mit ihrem Partner zusammenzukommen. Es geht nicht um die Vernunft oder um die Sache, sondern es geht um die Person! Das ist Ausdruck wirklicher Liebe. Ein weiteres Kennzeichen echter Liebe ist die gegenseitige Bereitschaft, sich dem Partner vollkommen anzuvertrauen. Da gibt es keine Geheimnisse oder Tabu-Themen. Man möchte so viel wie möglich von sich mitteilen und auch vom Partner erfahren.

Gebet ist vergleichbar mit einer solchen Begegnung zweier Liebender. Auch Gott bringt mir in einer solchen Gebetszeit seine Liebe neu ins Herz. Wie aber drückt Gott seine Liebe zu mir aus?

Nun sagt uns die Bibel, dass Gott in seinem ganzen Wesen Liebe ist: *Wer nicht liebt, hat Gott nicht erkannt; denn Gott ist Liebe* (1. Johannes 4,8). Aber worin kommt seine Liebe zu uns, zu mir zum Ausdruck? Woran merke ich, dass Gott mich liebt? Sicher gibt es viele Anzeichen der liebenden Fürsorge Gottes im Leben eines jeden Menschen; die meisten würden jedoch als »selbstverständlich« hinnehmen, dass sie zum Beispiel nicht hungern und dürsten müssen; dass sie eine Ausbildung haben; dass sie beziehungsfähig sind usw. Die Liebe Gottes drückt sich auch nicht in diesen Dingen am stärksten aus; sonst müssten ja kranke, arme oder minderbemittelte Menschen darin einen Ausdruck der Ablehnung Gottes sehen.

Nein, Gott segnet mich nicht, weil ich so lieb, so gehorsam und so gut bin. Er segnet mich, weil *er* gut ist, weil er in seinem ganzen Wesen Liebe ist. Seine Liebe kann sich auch einmal darin zeigen, indem er meinen Lebensraum begrenzt, indem er mir etwas nimmt, an das ich mein Herz gehängt habe. Seine Liebe kann ihren Ausdruck darin finden, dass er mir in schwierigen Zeiten des Leidens und der Schmerzen ganz nahe ist; so nahe, wie mir kein Mensch sein kann. All das sind Zeichen der Liebe Gottes zu mir, die ich betend wahrnehmen kann.

Die Liebe Gottes zeigt sich für alle Menschen am klarsten darin, dass er selbst in Jesus Christus auf diese Erde gekommen ist, alle Schuld und Sünde auf sich nahm und am Kreuz für sie starb. Es gibt keinen größeren Beweis der Liebe Gottes. Jesus selbst sagt es einmal so: *Niemand liebt mehr als einer, der sein Leben für seine Freunde opfert* (Johannes 15,13). Diese Liebe vertieft sich sogar noch in der Tatsache, dass Gott uns in Jesus Christus nicht nur die Möglichkeit zu einem Neuanfang gibt, sondern dass er uns in ihm eine völlig neue Existenzweise ermöglicht. Die Bibel beschreibt ein solches Leben oft mit den Worten, dass Christus *in uns* lebt. Die Liebe des lebendigen Gottes geht so weit, dass er sich mit den Menschen verbindet. *Bleibt in mir und ich in euch* (Johannes 15,4; Luther), fordert Jesus von seinen Nachfolgern.

Ich habe mich darüber gefreut, dass Jesus Christus für mich ist und dass er durch mich handeln will. Aber am meisten jubelt mein Herz, wenn ich daran denke, dass ich mit Jesus Christus allezeit und an jedem Ort verbunden bin; er lebt in mir! Deshalb sind die besonderen Gebetszeiten für mich etwas Wertvolles. Ich weiß jedoch, dass ich in allen Situationen, bei allen Gelegenheiten meines Lebens mit ihm verbunden bin, nicht nur in den besonderen Zeiten des Gebets. So kann ich auch verstehen, wenn der Apostel Paulus dazu auffordert: *Freuet euch in dem Herrn allewege, und abermals sage ich: Freuet euch!* (Philipper 4,4; Luther). Ich kann mit Gott 24 Stunden am Tag verbunden bleiben. Sicher, ich bin mir dessen nicht immer so bewusst, aber ich will dieses Bewusstsein immer mehr lernen.

Letztlich ist alles, was ich tue, damit in Verbindung zu bringen, dass ich »im Namen Jesu« lebe: Er in mir und ich in ihm! Ich soll auch in allen Lebenssituationen mit Gott sprechen, betend mit ihm in Verbindung sein können, denn darin kommt meine Gegenliebe zu ihm zum Ausdruck. *Alles, was ihr tut und was ihr sagt, soll zu erkennen geben, dass ihr Jesus, dem Herrn, gehört. Euer ganzes Leben soll ein einziger Dank sein, den ihr Gott, dem Vater, durch Jesus Christus darbringt* (Kolosser 3,17). Mit diesen Worten bringt Paulus diese Wahrheit gut zum Ausdruck.

Wie aber sieht das praktisch aus? Nun, es ist gar nicht so kompliziert, ganz im Gegenteil, zumal der Heilige Geist ständig mit dabei ist. Wenn ich morgens aufwache, habe ich mir zur Gewohnheit gemacht, meine ersten Gedanken Gott zuzuwenden. Manchmal ist es nur ein kurzes: »Halleluja, danke für den neuen Tag!« An schweren Tagen hört sich das dann auch schon einmal so an: »Herr, du hast mir diesen Tag gegeben, und du willst mich auch durchtragen!« Er ist bei mir, wenn ich unter der Morgendusche stehe oder frühstücke. Er ist bei mir, wenn ich am Schreibtisch sitze; wenn ich im Stress bin; wenn ich etwas vergessen habe. Er ist aber auch da, wenn ich mich über die vielen kleinen Überraschungen am Tag freue. »Herr, ich finde den Baum dort drüben besonders schön!« – »Super, dass ich so einen guten Parkplatz bekommen habe!« – »Wie schön, dass mein Zug heute keine Verspätung hat« usw. Oft sind es nur Gedanken, aber immer häufiger ertappe ich mich dabei, dass ich auch laut mit Gott spreche. Manchmal kann das sogar etwas peinlich werden, aber es ist ja ein Ausdruck meiner Liebe zu ihm.

Es gibt unterschiedliche Arten, einzukaufen. Wenn ich einkaufe, so möchte ich möglichst gute Qualität für wenig Geld bekommen und vor allen Dingen nicht ungehörig viel Zeit mit dem Einkaufen verbringen. Ich gehöre zu den Menschen, die in ein Geschäft gehen und ziemlich genau ansagen, was sie wollen und was nicht. Aber auch in solchen Situationen spreche ich mit Gott.

Eines Tages stand der Kauf eines neuen Anzugs für mich an. Ich wusste diesmal jedoch wirklich nicht so recht, was ich nehmen sollte.

So stand ich im Geschäft vor den unendlichen Anzugreihen. Ich redete mit meinem Herrn: »Herr, was meinst du, was soll ich nehmen? Ich möchte nicht so viel Geld ausgeben, aber ich habe auch so wenig Ahnung! Kannst du mir nicht helfen?« In diesem Fall waren es nicht nur Gedanken, sondern offensichtlich Worte, die ich von mir gab. Sogleich sprach mich eine nette Verkäuferin an: »Wie bitte, ich verstehe Sie nicht recht? Was kann ich für Sie tun?« – Sollte ich ihr nun sagen, dass ich sie ja gar nicht angesprochen hatte, sondern mit Gott im Gespräch war?

Ich sparte mir die Erklärungen, ließ mich beraten und hatte den Eindruck, dass Gott mein Gebet durch diese Verkäuferin schon erhört hatte. (Es wurde übrigens ein guter Kauf!)

Vielleicht ist dieses Beispiel aus meinem Alltag für Sie zu unsinnig, ja, zu lächerlich! Sie sagen sich: »Man muss doch auch seinen Verstand einsetzen. Man kann Gott doch nicht mit allem Kram belästigen!«

Ich stimme Ihnen gerne zu, was den Gebrauch des Verstandes anbelangt, aber gerade das habe ich doch gelernt, dass ich zu Gott mit allen Dingen kommen kann. Oft sind es nur die kurzen Stoßseufzer im Leben, die kleinen Gebetsgedanken, die zu Gott gehen, die Ausdruck meines Lebens mit dem liebenden Gott sind. Ich liebe ihn, und deshalb spreche ich mit ihm über »jeden Kram«!

Aber nicht nur das. Ich spreche mit ihm über mich, über meine Gefühle, meine Wünsche, meine unsortierten Gedanken. Und immer wieder möchte ich es ihm sagen: »Ich liebe dich, mein Gott!« Manchmal habe ich dabei eine solche Nähe Gottes gespürt, als würde er mich umarmen und mir ins Ohr flüstern: »Und ich dich auch, mein liebes Kind!«

---

Ich ermutige Sie, es auch einmal bewusst zu versuchen: Reden Sie mit Gott doch nicht nur in den besonderen Gebetszeiten, sondern im Alltag, bei Ihrer Arbeit und in Ihrer Freizeit. Und vielleicht sagen Sie ihm zwischendrin: »Ich liebe dich!«

## !mpuls:

### Der Autor

**Dr. Heinrich Christian Rust,** geboren 1953, ist verheiratet und lebt mit seiner Familie in Braunschweig. Er ist Pastor einer Evangelisch-Freikirchlichen Gemeinde (Baptisten); zuvor war er Leiter der Heimatmission im Bund Evangelisch-Freikirchlicher Gemeinden in Deutschland (EFG). Daneben ist er Vorsitzender der Geistlichen Gemeinde-Erneuerung – Initiative im Bund EFG.

### Veröffentlichungen (Auswahl)

Rust, Heinrich Christian: *Charismatisch dienen – gabenorientiert leben.* Oncken, Kassel 2006

Rust, Heinrich Christian: *Gemeinde der Zukunft. Aufbrechen aus der Stagnation.* Oncken, Kassel 2006

### Buchempfehlungen

Vogel, Friedhold: *Grenzenlos beten. Gebetshindernisse überwinden.* Hänssler, Holzgerlingen 2003

Oft stellen sich unserem Gebet Hindernisse in den Weg. In diesem Buch zeigt Friedhold Vogel sieben Gebetsbarrieren auf und spricht davon, wie sie überwunden werden.

Lohaus, Bettina: *Beten überwindet. Die Bedeutung des Gebets im Erneuerungsprozess.* Oncken, Kassel 2004

Die Verfasserin war viele Jahre Referentin in der überkonfessionellen Familienarbeit und ist verantwortliche Gebetsleiterin der Geistlichen Gemeinde-Erneuerung – Initiative im Bund Evangelisch-Freikirchlicher Gemeinden in Deutschland. Erneuerung beginnt im Herzen des Einzelnen und in einer engen Beziehung zu Jesus. Die Autorin beschreibt, wie ein solcher Prozess neu beginnen kann.

Hybels, Bill: *Aufbruch zur Stille. Von der Lebenskunst, Zeit für das Gebet zu haben.* Gerth Medien, Asslar [12]2001

Allzu oft finden wir in der Hektik des Alltags nicht die Ruhe, um Gott in der Stille zu suchen. Auch Bill Hybels erging es so. Offen und ehrlich erzählt er, wie Gott ihm seinen Mangel an Glauben und seine Unbeständigkeit vor Augen führte und ihn dann beten lehrte. Hybels macht viele praktische Vorschläge, wie unser Gebetsleben lebendig und beständig bleiben kann.